きほんの木

大きくなる

写真　姉崎一馬

文　姉崎エミリー

カツラの新緑

もくじ

地球でいちばん大きな生きもの

日本には、野山に生える野生の木が1000種類以上あります。背たけが10センチ以下の小さなものから、30メートルをこえる大きなものまであります。30メートルは、10階建てのビルぐらいの高さです。そのなかから、大きくなる木を10種類選びました。みなさんにぜひおぼえてほしい木です。

スギ

シロヤナギ

木は、地球でいちばん大きくなり、いちばん長生きする生きものです。たねから芽生え、100年以上もかかって成長してきた大きな木たちの生えている場所に行って、じっさいに自分の目で見てください。木を見上げて、木にさわって、木のまわりを見まわして、木が生きてきた年月と、木の大きさやパワーを感じてほしいです。

シラカバ

ケヤキ

森のふちに立つケヤキ　6

ケヤキ

ケヤキは太い幹から枝を左右に大きく広げた「木」らしい形の木で、各地に巨木や長寿で有名な木があります。広場や公園、並木などまわりが開けた場所に植えると、この形になりやすいです。

森の中に生えている野生のケヤキは、木々の間で枝を上にのばして大木になり、広い空間があればやはり枝を左右に広げます。しめり気の多い栄養豊かな川沿いの斜面などに多く、根を張って河岸を守っています。

ケヤキの実

ケヤキの花

「ケヤキには花が咲かないのですか?」と聞かれることがありますが、そんなことはありません。新緑のころに小さくてめだたない花が咲き、そのあと秋に小さな実がなります。どちらも小さいうえに大きな木の高いところにつくので、気づきにくいだけです。

若いケヤキの幹はつるりとしていますが、直径30〜40センチ以上の大木になると、樹皮が波形にはがれてでこぼこになります。

新緑や黄葉も美しいので、春や秋のケヤキのすがたも楽しんでください。

樹皮がはがれたケヤキの大木

カツラ

花の香りがいい木はたくさんありますが、カツラは葉のにおいがいいめずらしい木です。秋が近づき、葉が黄色く色づいてくるとにおいが強くなってきます。キャラメルをこがしたような、あまくておいしそうなにおいです。においを先にキャッチして、カツラの大木の下にいることに気がつくこともあります。

カツラの大木

カツラの黄葉

カツラの葉は、ハート形や円形のめずらしい形です。このかわいらしい形は、新緑や黄葉の時期にはとくに目を引きます。

また葉だけでなく、花の時期もめだちます。花びらのない小さな花ですが、葉が出る前に枝いっぱいに咲くので、太陽の光をあびると赤くかがやいて見えます。

カツラの若葉

カツラの花

マツ

幹の色が赤いのがアカマツ、黒いのがクロマツです。アカとクロの名前のとおり、幹の色で区別できます。

わかりやすいちがいは、ほかにもあります。アカマツはおもに山に生えます。マツタケが育つのはアカマツの林で、風通しがよく水はけのよい斜面です。

マツの葉は細長く、先が針のようにとがっています。アカマツの葉はクロマツよりやわらかく、先をにぎっても痛くありません。

アカマツ

クロマツ

クロマツは潮風に強く、海岸の岩の上や砂浜に生えます。海辺のマツ林（松原）で見られるのは、おもにクロマツです。日本中にたくさんの松原がありますが、ほとんどのマツが、潮風や飛んでくる砂から畑や家を守るために、人の手で植えられたものです。

クロマツの葉はかたくて、先をにぎると痛いです。

スギ・ヒノキ

日本でいちばんたくさん生えている木と草は何でしょう。答えはスギとイネです。いちばん多い木はスギで、ほとんど人間が植えたものです。イネももちろん人間が植えて育てています。

スギは成長が早く、幹がまっすぐにのび、家を建てる材料として使いやすいため、日本中に植えられています。もともと生えていた木が切りたおされ、スギがたくさん植えられました。

スギは日本にしかない木です。昔は山に野生のスギがありましたが、今ではとても少なくて、めったに見られません。こんなことは、ほかの木にはないことです。

19　スギ

ヒノキ

スギ（左）とヒノキ（右）

ヒノキもたくさん植えられ、育てられています。スギにくらべて成長がおそい木ですが、木目が細かく、かたくてくさりにくいため、寺や神社など長く使われる建物の材料となります。

野生のヒノキは、かわいたがけ地などきびしい環境にも生え、なかには100年たっても直径1センチにしか成長しないというヒノキもあります。

スギとヒノキの植林地をくらべると、先がとがったスギの葉よりもヒノキの平たい葉の方が光を反射して、キラキラと光って見えます。

ヤマモミジの紅葉　22

カエデ

葉の形がカエルの手のようなので、「カエルデ」から「カエデ」に変化したといわれています。葉の形は種類によっていろいろです。モミジという呼び方もあります。

カエデといえば秋の紅葉を代表する木々で、たくさんの種類のカエデが、赤や黄色に色づいた葉で、目を楽しませてくれます。でも、カエデの魅力は紅葉だけではありません。

ハウチワカエデの花

夏のころのヤマモミジの実

春に若葉が広がっていくようすは、とじたかさを開くように見えて、ユーモラスです。種類によって新緑の色がちがうので、春にも色や形が楽しめます。あまりめだちませんが、線香花火のようなかわいらしい花にも目を向けてください。

また実も、種類で色や形がさまざまです。翼がついていて、秋に熟すと、たねのところで二つに分かれ、くるくるまわりながら風に乗って遠くまで飛んでいきます。

春のヤマモミジの実

カシ

カシの葉は、厚くてかたく、つやがあります。とくにイチイガシは、太陽の光が当たるとギラギラ光って見えるので、山の斜面を見てどの木がイチイガシかわかります。

カシは、冬でも葉を落とさずにこい緑色の葉をつけていますが、一年中変化がないわけではなく、春には、古い葉を少しずつ落として新しい葉を芽吹きます。

葉が光るイチイガシ

ウラジロガシの若葉

アカガシの若葉と花

　カシの新緑は、種類によって明るい黄緑色、オレンジ色、赤色、うす茶色、うすむらさき色などさまざまです。秋に紅葉はしませんが、春の新緑が色とりどりですばらしいのが、カシの魅力です。

　若葉を楽しめるのは、春の短い期間だけです。カラフルだった若葉はだんだんと緑色に変わり、また種類のちがいを見つけにくい、こい緑色の森へともどります。

川岸に生えるネコヤナギの花　30

ヤナギ

ヤナギは、花芽が綿ぼうしのようにフワフワしていて、花が黄色っぽく、たねが綿毛につつまれているものが多いです。

また成長が早く、水辺やがけ、道路わきなど、さまざまな場所で生きることができる、強い生命力の持ち主です。土手や斜面がくずれると、まっ先にヤナギが根づいて大きくなり、自然の堤防の役目をはたしてくれます。

バッコヤナギの黄葉

ヤナギは、河原や川岸などから高い山まで、しめった場所からかわいた場所まで、どこにでもたくさん生えています。ありすぎて、気づかれないことが多いくらいです。

並木や公園に植えられたシダレヤナギは枝がたれ下がりますが、野生のヤナギには、細い幹をたくさん出して広がるものや、一本の幹で立つ木などさまざまな種類があります。

また高さが1メートル以下の小さなものから、20メートルをこえる大木まであります。種類が多くて、それぞれのちがいを見分けるのがむずかしい木です。

シロヤナギの花

ブナの<ruby>森<rt>もり</rt></ruby>　34

ブナ

ブナの森は、水を生む森です。森にためられた水が川となって農地をうるおし、海に栄養をとどけて、農業と漁業を支えてきました。ブナの森は山と川と海のつながりの元です。

そんなブナの森ですが、たくさん切られてスギなどの植林地にされました。でも今では、生きものたちにとってどんなにたいせつかが知られ、だいじに思う人がふえています。

ブナの黄葉

イヌブナの芽生え

ブナの幹はつるりとしていて、コケや地衣類が地図のようなもようをつくっています。ブナの森の中を歩くのはとても気持ちがよく、いごこちがいいので大好きです。春の新緑、夏の木もれ日、秋の黄葉、冬木立ちに雪景色と、いつおとずれても心に深く残ります。

秋には、生でも食べられるおいしい実がなります。でも6年に一度くらいしか大豊作になりません。豊作の次の春には、カイワレダイコンのような芽が地面いっぱいに出てきます。

ブナには、ほかにイヌブナがあります。太平洋側など雪の少ない地域に生え、幹が黒っぽい木です。

ナラ

ナラには、コナラとミズナラがあります。コナラは、人間の生活を支えてきた木のひとつです。昔から、幹や太い枝は薪として使われ、幹からは炭もつくられてきました。火を使う唯一の動物である「人間」にしてくれた木といえるかもしれません。

少し前までは、くらしにいちばん近い森として切られた木は薪や炭に、落ち葉は肥料となり、子どもたちの遊び場にもなっていました。

そんな身近な森でしたが、ガスや電気が燃料の中心になってからはほとんど利用されず、多くが住宅地へと姿を変えていきました。

39　コナラの新緑

ミズナラの大木

黄葉するミズナラの林

コナラは低い山や平地に多く、ミズナラは北国や高い山でよく見られます。両手でかかえられないほどの太さになったミズナラの大木は、まるで森の王様のようです。

ミズナラは芽吹きがおそく、ほかの木々が新緑になっているなかで、黒っぽい幹と枝がめだちます。秋にはみごとな黄葉を見せてくれます。

41

シラカバとダケカンバ

42

カバノキ

カバノキには、シラカバやダケカンバなどがあります。

白っぽい幹の木はいろいろありますが、まっ白なのはシラカバだけです。まっ白な幹はとてもめだち、遠くからでもシラカバだとわかります。ダケカンバは、幹の色がうす茶色で、シラカバと並んで生えていると色のちがいがよくわかります。

シラカバは若木のときは黒っぽいのが、成長すると、横方向に樹皮がうすくはげてだんだんと白さを増していきます。白い色の成分はわかっていますが、どうしてこれほどまでに白いのかはなぞです。

シラカバの新緑

郵 便 は が き

料金受取人払郵便

小石川局承認

8713

差出有効期限
2021年2月
28日まで

郵便切手はいりません

112-8790
089

東京都文京区
　　小石川5-5-5

株式会社　アリス館

　　　編集部　行

あなたの 〒　　—
ご住所

お電話番号　　　　（　　　　　　）

ご職業
　　1．学生　　2．会社員　3．公務員　4．教員　5．自由業
　　6．自営業　7．主婦　　8．アルバイト　9．無職　10．その他（　　　　）

今後、弊社からの情報をお送りしてよろしいですか？　□はい　□いいえ

ご感想をお寄せください

あなたのお名前 （　　　　　）さい

お子さまのお名前 （　　　　　）さい

メールアドレス

この本の名前

この本を何でお知りになられましたか？
1. 書店で（店名　　　　　　　） 　2. 広告で　3. 書評で　4. インターネットで
5. 人にすすめられて　　6. プレゼント　　7. その他（　　　　　　　）

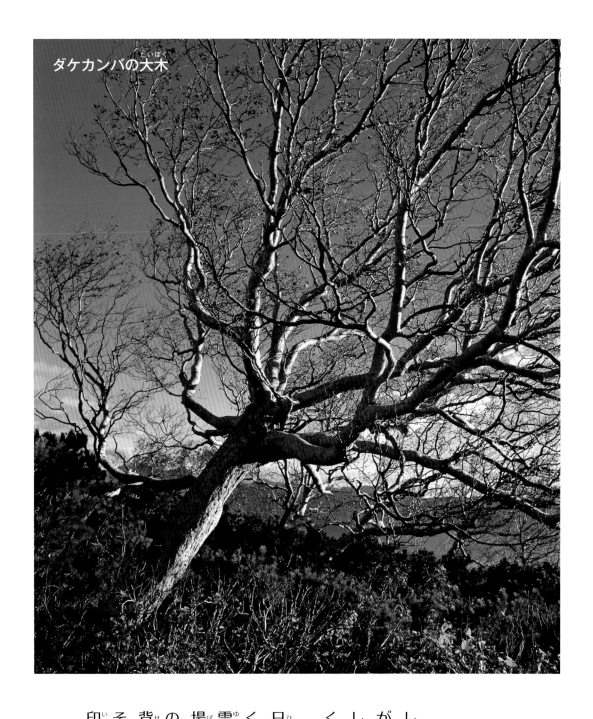

ダケカンバの大木

シラカバの寿命は、木としては短く30年ほどですが、がけくずれなどでできた新しい土地に、まっ先に根づく力強さもあります。

ダケカンバは、高い山の日あたりのいいところにたくさん見られます。高山で雪が多いところや風の強い場所では、幹をまっすぐにのばせずに曲がっていたり、背たけが低かったりして、その形からはあらあらしい印象を受けます。

大きくなる木と人のくらし

おはなししきれなかった、大きくなる木のことをもうちょっとだけお伝えします。

ケヤキ

大木が立ち並ぶケヤキ並木は見ごたえがあります。太くてスラリとのびた幹、逆さにしたほうきのように広がった枝は、春の新緑、夏の木かげ、秋の黄葉、冬木立……と、一年を通して楽しませてくれます。歩道橋の高さからは花や実を間近に見られますよ。

カツラ

カツラは大木になる木です。幹1本でも大きくなりますが、根元から何本も幹が株立ちして大きくなり、それらがくっついて、さらに大木になります。全国各地に巨木があり、山では水辺に多いためか、さわやかな印象を受けます。

マツ

アカマツ林があると「マツタケは生えるかな?」と思ってしまいます。マツタケは秋の味覚の王様です。昔は、燃料にするためにアカマツの落ち葉や枝を集めたので風通しがよくなり、たくさんかきとれましたが、今は落ち葉かきがされず、マツがかれる病気も広がっていて、とても貴重品になりました。

スギ・ヒノキ

スギやヒノキの植林地は、材木をとるためにつくられた畑です。1種類の木しか植えないため、自然の豊かさが少なくて、ほかの植物や動物がすみにくく、生きものをあまり見かけません。一年中緑の葉がしげり、光が入りにくくて暗い林です。秋田スギ、北山スギ、魚梁瀬スギ、飫肥スギなどが品質の高いスギとして知られています。

カエデ

赤や黄色、オレンジ色などに色づいたいろいろなカエデが山々を染めはじめると、秋になったと実感します。紅葉を楽しむことを「もみじ狩り」といいます。山のカエデだけでなく、寺や公園、温泉地などの紅葉の名所にはイロハモミジやヤマモミジが植えられていて、多くの人がおとずれます。

カシ

秋にはドングリが実ります。カシのドングリのぼうしはしまもようです。九州ではカシのドングリからでんぷんをとり、「カシの実団子」をつくります。ドングリはそのままでは苦いので、水にさらして、あくをぬくなどして手間をかけるとおいしくなります。

ヤナギ

ヤナギというと、まっ先に思い浮かぶのはシダレヤナギですが、これは古い時代に中国から入ってきて、川沿いや公園などにたくさん植えられたものです。昔からゆうれいの後ろにえがかれていて、ヤナギの代名詞になっています。

ブナ

四季折々、いつおとずれても気持ちのいいブナの森ですが、おすすめは、残雪のなかでの芽吹きの時期です。青空が広がっていたら、雪の白さに明るい緑色の若葉が映えて、最高です。秋のブナの実集めは、小さな実をひとつひとつ拾うので根気がいりますが、楽しいです。

ナラ

コナラとミズナラは「ドングリの木」の代表です。ドングリのぼうしのもようはうろこ状で、カシの実と同じくそのままでは苦くて食べられません。コナラの薪はゆっくり燃えて長持ちするので、薪の王様といわれています。また、シイタケ栽培のほだ木としても使われます。

カバノキ

白い幹が続く並木は、北海道や長野県で見ることができます。シラカバのまっ白な幹は、新緑も黄葉も、青空も夕陽も、引き立て役なのでしょうか。シラカバは、歌の歌詞によく出てきます。

豊かな自然が大きくする

木は芽生えた場所から動くことができません。芽生えた場所がどんなところであっても、ずっとそこで生きていきます。雨が降らずに地面の水気がなくなったことや、枝先がこおりつくような寒い日もあったでしょう。大風が吹いてすべての葉がちぎれ、たおれそうになりながらも、何十年、何百年と生きてきたのかもしれません。大木は、長い年月の間に、多くのなかまがかれていくなかで生き残ってきた、たくましい生きものです。

大きな木が育つには、とても長い年月がかかります。木が100年生きていくためには、木が生きてきた分の時間だけではなく、その100年を支える豊かな自然ができていく時間も必要です。大きな木が生えている場所には、すばらしく豊かな自然があるのだということに気づいてほしいと思います。大きな木を見ると、豊かな自然と長い歴史を感じ、心が動かされます。

48

姉崎一馬

少年時代に、夢中だった昆虫を通して自然科学の奥深さを知ったことで、自然の豊かさを伝え、守るという目標を掲げて撮影している。自然のたいせつさを子どもと分かちあう「わらだやしき自然教室」を主宰。『はるにれ』(福音館書店)、『雑木林』『ブナの森』(山と渓谷社) など著書多数。

「この本を持って野山に出かけて、自分がすむ場所の自然の豊かさを知り、木と友だちになってください」

ホームページは「わらだやしき自然教室」で検索

姉崎エミリー

子どものころからの自然体験や野生動物観察をきっかけに、自然のたいせつさを子どもたちに伝える自然教室のリーダーを続ける。子ども向けの図鑑や学習誌の編集に携わった後、全国の森林を巡り、木や森のことを学ぶ。著書に『一本の木に葉っぱは何枚?』『くりばやし』(福音館書店「たくさんのふしぎ」)などがある。

「木を知って、森を知って、生きもののくらしを知って、地球を知る……。この本から世界を広げてください」

きほんの木
大きくなる

2019年9月30日 初版発行

写真　姉崎一馬
文　姉崎エミリー
イラスト　高橋和枝
デザイン　有山達也　中本ちはる(アリヤマデザインストア)
プリンティング・ディレクター　高栁昇(株式会社東京印書館)
編集　寒竹孝子　川嶋隆義(スタジオ・ポーキュパイン)

発行人　田辺直正
編集人　山口郁子
発行所　アリス館
〒112-0002　東京都文京区小石川5-5-5
電話 03-5976-7011
ファックス 03-3944-1228
http://www.alicekan.com/

印刷所　株式会社東京印書館
製本所　株式会社ハッコー製本